지옥

The Musical

극본집

The Soulmate Creation

The 30th

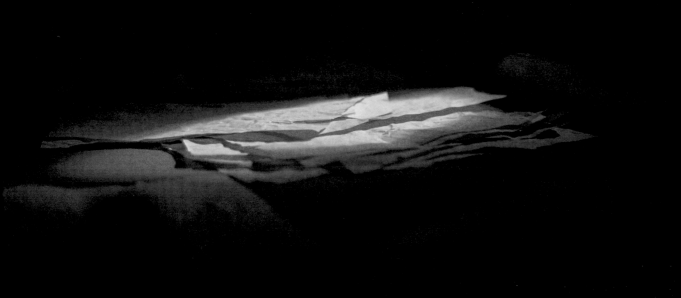

CREATIVES

음악감독

오승환

23기

종이는 평평하지만, 쓰인 문장 속에는 보이지 않는 등고선이 새겨져 있습니다.
뮤지컬 넘버를 쓴다는 것은 그 사영을 입체적으로 복원하는 일, 작가의 필압과 배우의 호흡 사이 공간을 채우는 일입니다.

운이 좋게도, 이 놀라운 작업을 훌륭한 사람들과 함께할 수 있었습니다.
그들과 함께 〈지옥〉의 능선을 따라 걸으며, 그 고된 길을 기쁘게 끌어 안았습니다.
그 발자취를 오선보 위에 잘 옮겨냈는지 모르겠으나,
이 대본집을 통해 〈지옥〉 팀의 숨결이 독자들의 귀에 부드럽게 속삭여 오래도록 울리는 여운으로 남기를 바랍니다.

작사

이수빈

30기

먼저 저희 30회 정기공연 〈지옥〉에 보내주신 여러분의 따뜻한 관심과 성원 정말 감사드립니다. 덕분에 이렇게 저희 공연이 '또 하나의 작품' 으로 세상에 나오게 되었네요. 사실, 어렸을 때부터 글을 쓴다거나 하는 창작 활동은 좋아했지만 작사는 이번이 처음이라 긴장도 많이 되었고 헤메기도 많이 헤멨습니다. 본공연 이전에 진행했던 활동에서, 정말 지금 생각해보면 부끄럽기 짝이 없는 가사 ("순두부~") 를 썼었거든요. 이랬던 것도 엊그제 같은데 이렇게 어엿하게 (?) 성장해서 본공연 작사도 다 해 보고 참 감회가 새롭습니다.

우리 소울메이트 29기, 30기 여러분. 공연을 준비하는 기간동안 몸도 마음도 많이 지치기도 하셨을텐데, 항상 저와 제 가사를 아껴주셔서 고맙고, 사랑합니다. 그리고 자리에 함께해주심으로써 저희 〈지옥〉 공연을 완성시켜주신 관객 여러분, 짧다면 짧고 길다면 긴 100분 동안의 저희 공연을 즐겨주셔서 감사합니다. 마지막으로 (읽으실 리는 없겠지만) 항상 저에게 영감을 주신 나의 베아트리체 전동석 배우님 정말 사랑합니다. 소울메이트의 열정은 그치지 않습니다. 올 겨울 다가올 31기 공연에도 많은 관심 부탁드립니다. 우리는 아마 다시 만날겁니다!

극작, 총연출

황준

29기

우선 공연에 와 주신 분들과 제작에 참여해 주신 모든 분들께 감사의 인사를 올립니다. 특히 전해림, 박찬민, 김영서, 송승겸 님에게 큰 공을 돌립니다. 〈지옥〉을 여러분께 이렇게 다시 소개할 수 있게 되어 기쁩니다.

실제 역사적 인물의 동기를 판타지적 요소로 재창작하는 것은 즐거운 작업이었습니다. 이 극을 쓰게 되기까지 많은 생각과 갈등이 머릿속에 오갔습니다. 앞서 공연되었던 많은 훌륭한 작품들에서도 '뮤지컬'이라는 '기술' 자체에만 집중한 나머지, 드라마가 가질 수 있는, 또 가져야 하는 힘을 간과한 것 같아 개인적인 아쉬움이 컸던 것이 사실입니다. 따라서 플롯을 최대한 입체적으로 구성하려 노력했고, 관객이 의미 구성에 참여할 수 있는 여지를 남기고자 했습니다. 또한, 많은 음악적 모티프들을 적재적소에 변주하여 활용하는 등 음악이 드라마를 온전히 담을 수 있도록 극을 구성하였습니다. 극 중 인물인 '베아트리체'를 추상적 개념인 단테의 예술성으로 바라보고, '시간'의 대사 중 '절망'은 단테에, '결핍'은 의사에 대응되는 것 등, 숨어 있는 디테일들을 찾아보는 것도 흥미로운 일이 될 것입니다.

이 공연이 함께했던 모든 사람들의 기억 속에서 빛이 바란 상태로 영원할 수 있기를 바랍니다. *Dear "soulmates."*

 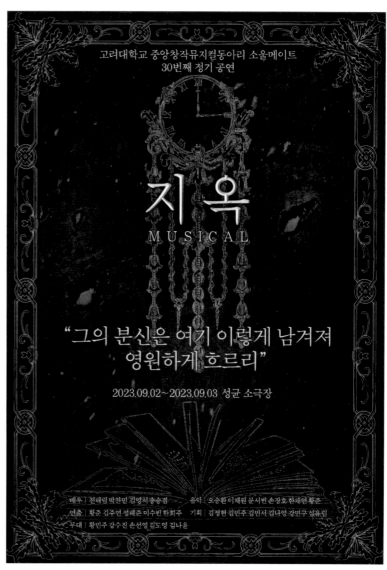

〈지옥〉은 2023년 9월 2일과 3일, 대학로의 성균소극장에서 공연되었다.

소울메이트의 서른 번째 정기 공연이었던 이 공연은 최초로 3회 공연을 진행하였으며,

전 회차 전석 매진을 이루어냈다.

또한 2024년 제 1회 대한민국 대학연극제의 48개 예선 출품작 중,

유일한 비전공 단체로 12개작 본선 진출 명단에 이름을 올렸다.

2023년 여름 두 달 간의 학생회관 연습실 공기와,

공연 날의 한 곳만을 향하던 모두의 숨결이

바로 이 다음 페이지부터 곳곳에 스며 있다.

SYNOPSIS

"절망의 영혼이여 영원하리"

시간은 그의 편을 들어주지 않았고, 그의 작품은 보란듯이 우리 앞에 남겨졌다.

예술의 도시 이탈리아 피렌체,

단테와 그의 운명의 여인 베아트리체는 산타 트리니타 다리에서 9년 만에 다시 만난다.

베아트리체와 함께 있는 시간에 머물길 바라는 단테.

그 순간 시간이 그에게로 왔고,

베아트리체는 한 송이의 장미처럼 시든다.

진정한 예술은 결핍과 절망이 누적된 기록이라고 말하는 시간,

그리고 현재의 행복과 그런 그의 문장만을 사랑하는 단테.

자신이 베아트리체를 다시 살려낼 수 있다고 믿는 단테는 시간과 거래를 해 과거로 돌아간다.

하지만 이름 모를 의사의 영혼이 되는데…

시간은 알고 있었는가.

예술가의 행복은 절망을 위한 발판일 뿐임을,

단테는 절망에 빠지고 의사의 결핍은 채워질 수 없는 운명임을.

그럴수록 그의 예술성은 깊어져만 가고, 베아트리체는 단테의 예술성 그 자체가 되는데…

Musical Numbers

ACT 1

00. 망자를 위한 기도 (황준/문서빈)
00a. Mysterious Underscore (문서빈)
00b. Overture (손장호)
01. 산타 트리니타 1 (이수빈/오승환)
02. 내 안의 그대 (이수빈/한채연)
03. 그 깊은 곳에서 (이수빈/문서빈, 이채원)
03a. 산타 트리니타 2 (이수빈/오승환)
03b. Suspenseful Underscore (오승환)
04. 사랑과 절망의 소나타 (이수빈/문서빈, 오승환, 황준)
05. 희망의 끝, 길을 잃고 (이수빈/손장호)
06. 시간의 유산 (이수빈/오승환)
07. 천국의 그림자 (이수빈/문서빈)
08. 위대한 예술의 시작 (이수빈/오승환)

ACT 2

Entr'acte (문서빈)
09. 그대 안의 나 (이수빈/한채연)
10. 고장난 심장의 탱고 (이수빈/오승환)
11. 피할 수 없는 운명 (이수빈/손장호)
11a. 그는 여기 있어! (이수빈/오승환)
12. 결핍과 예술의 심포니 (이수빈/오승환, 문서빈)
12a. 역작의 탄생 (황준/오승환)
13. 망자를 위한 기도 Reprise (황준/문서빈)
Bows & Exit (오승환)

소울메이트

제 30회 정기공연

지옥

극작　　｜황 준

작사　　｜이수빈 황 준

음악감독｜오승환

작편곡　｜오승환 문서빈 한채연 손장호 이채원 황 준

연출　　｜김주연 성혜준

무대연출｜한희주

미술　　｜황민주 강수진 김나윤 김도영 손선영

기획　　｜김정현 김민주 김민서 심유림 강민구 김나영

그리고

전해림　　박찬민　　김영서　　송승겸

" *시간*아 멈추어라, 너는 정말 아름답구나 "

Verweile doch, du bist so schön!

-〈파우스트〉, 요한 볼프강 폰 괴테(1749~1832)

" *시간*이 그의 피 마르게 하고

그의 이마에 주름살과 이랑 채워 놓을 때

그의 보석 같은 봄날 훔쳐 감으로

지금은 그가 왕인 온갖 아름다움 사라지거나

눈앞에서 멀어지게 될 그러한 때 대비하여, "

When **hours** have drained his blood, and filled his brow

With lines and wrinkles; when his youthful morn

Hath travelled on to age's steepy night;

And all those beauties whereof now he's king

Are vanishing or vanished out of sight

-Sonnet 63, 윌리엄 셰익스피어(1564~1616)

" 하지만 *시간*이 가면 사람들은 그것을 확실히 알게 될 것입니다.

*시간*만이 정의로운 자를 드러내니 말입니다. "

Αλλά αν περάσει ο **χρόνος**, οι άνθρωποι

σίγουρα θα το ξέρουν.

Μόνο ο **χρόνος** αποκαλύπτει τους δίκαιους.

-〈오이디푸스 왕〉, 소포클레스(497~406 BC)

1

하지만 **베르길리우스**께서 **나**에게 말하셨다. "무엇을 보느냐?

무엇 때문에 네 눈은 저 아래 잘린 **두 영혼**을 동정하느냐?"

−제29곡

휴식을 취할 생각도 없이 **그분**은 앞에서, **나**는 뒤에서 위로 올라갔으며,

마침내 나는 동그란 틈 사이로 하늘이 운반하는 아름다운 것들을 보았고,

우리는 밖으로 나와 별들을 보았다.

(잊지 못할 그분의 이름 베아트리체, 그는 **예술성** 그 자체이다.)

−제34곡

ACT [1]

SCENE [1] 단테의 묘 [시간, 여자, 의사]

(암전.)

START. 00. 망자를 위한 기도

막이 떨어진다.

〈09.14〉

(조명 ON.)

한가운데 놓여 있는 〈신곡〉과 깃펜 한 자루.

시간   (한 구석에 있다가 가운데로 와서 책상 위에 있는 깃펜을 집어들고 자신의 옷 주머니에 넣는다. 〈신곡〉을 집어 들고 바라본다.)

의사   (한 구석에 있다가 시간이 들고 있던 〈신곡〉을 향해 손을 뻗는다. 마치 그것이 자신의 전부인 것인 양.)

시간   (의사의 그런 행동을 막아선다.)

의사   (그 자리에 무릎을 꿇고 엎드린다.)

시간

Verse 1

그의 분신은

여기 이렇게 남겨져

3

영원하게 흐르리

차가운 절망이

그의 영혼 불러내

Verse 2

선택의 갈림길에서

뒤돌아 섰던 곳

갈망한 끝에

남은 건

절망과

증오뿐

/입장/ **베아트리체**

여자　　　　(구겨진 편지를 쥐고 있다. '시든 꽃'을 들고 있다.)

의사　　　　(그런 여자를 보고 절규하듯 손을 뻗으나 그에게 닿지 못해 다시 좌절한다.)

여자

Chorus 1

그대 처음 본 그 날

나 잊지 못해

따스한 문장이

날 웃게 했어

한번만

돌아와줘

4

/퇴장/ **의사**

시간

Verse 2-1

지나간 시간 앞에서

선택의 무게를

짊어질 운명

과거의

그 영혼

이 곳에

Verse 1-1

영원 속으로

남겨진 그의 분신은

모두가 찾아내리

하지만 그 영혼

고독하게 여기에

/퇴장/ **여자**

END.

START. 00a. Mysterious Underscore

시간   (이제는 단테의 빈 자리로 남아 있는 책상을 보며)

저기, 저 창백한 영혼이 누구인지 아는가.

피렌체의 거대한 귀족, 우리의 작은 시인. 두란테 알리기에리!

5

단테라는 이름이 친숙하겠지.

어째서, 그는 왜 이런 모습으로 여기에 남아있는 건가.

(다가가서, 〈신곡〉을 들며)

그의 영혼이 고작 하나의 예술로 타 버린 건, 운명의 장난이었던가?!

그를 처음 본 순간. 그땐, 난 그가 다른 예술가들과 같은 길을 갈 거라고 생각했지.

편히 쉬오. 한없이 작고도 슬픈 청년이여!

END.

시간 　　　 (〈신곡〉을 덮는다. 책을 덮는 타이밍에 맞춰 암전)

　　　 /퇴장/ **시간**

(암전.)

START. 00b. Overture

〈09.07〉

ACT [1]

SCENE [2] 숲 [단테, 시간]

　　　 /입장/ **단테**

단테 　　　 (희미한 랜턴만을 들고 무대 위로. 길을 잃은 듯 두리번거린다. 희미한 파 라이트. 누군가를
　　　　　 찾지 못해 랜턴을 내려 놓고 이내 쓰러져 잠이 든다.)

6

END.

/입장/ **시간**

(조명 ON.)

시간	(무대 한 쪽 구석에 기대어 서 있다.) 단테…
단테	(정신을 차리며 눈을 뜬다. 흠칫하며 시간을 보고.) 누구…?
시간	(S#9.에서와 달리 일어나려고 하는 단테의 손을 잡아주지는 않는다.) 나야… 시간.
단테	(정신을 차리며) 시간..? 베르길리우스… 정말 너야?
시간	그래… 이번엔 네가 날 찾은 거야.
단테	말도 안 돼. 몰라볼 정도로 변했어.
시간	내가, 변한 것 같지? 변한 건 너 자신이야 단테.
단테	네 말이 맞아… 예술성에 눈이 멀어 있었던 거야. 베아트리체는 그 자체로 내게 꼭 필요한 존재가 되어 버렸어. 근데… 그런 그녀가 죽었어.
시간	(단테를 깊이 쳐다보며) 그래. 시간은 변하지 않아. 그냥 계속해서 흐를 뿐이라고… (움직이자 꽃잎 한 개가 떨어진다.)

(Dim.)

단테	이 꽃… 그녈 찾아야 돼… (쓰러지며 내려 놓았던 랜턴을 들고 퇴장.)
시간	난 네가 걸음마를 떼는 것부터, 말을 익히는 것, 그리고, 첫사랑을 만나는 순간까지 함께했어. 네가 나를 처음 찾은 그 날도 생생히 기억해…

START. 01. 산타 트리니타 1

(조명 ON.)

7

/입장/ **베아트리체**

시간   (그 자리에서 입장한 베아트리체를 바라보고) 그때 넌, 누구보다 간절했지.

/퇴장/ **시간**

ACT [1]

SCENE [3] 정원, 과거 [단테, 베아트리체, 시간]

01. 산타 트리니타 1 Cont.

베아트리체   (여러 곳을 보다가 한 쪽 구석에서 꽃들을 주워 묶음을 만들고 있다.)

/입장/ **단테**

단테   (과거의 단테. 웃으며 숨을 가쁘게 들이쉬며 들어온다.)

베아트리체   (꽃 묶음을 안 보이게 돌린다.)

단테   (웃으며) 그래서, 계속 피렌체에 있었던 겁니까?

베아트리체   (웃는다.) 아니요.

               (단테를 빤히 바라보며) 하지만 지금은 가족과 함께 베키오 다리 근처에서 지내요.

단테   (눈을 마주치지 못하고 말을 더듬는다.) 아 그렇군요. 저는⋯ 당신이 멀리 떠나버린 줄 알았어요..

베아트리체   (그런 단테를 보며 웃는다.) 그게 끝이에요?

단테   (그제서야 눈을 살짝 마주치고 당황한 듯 다시 피한다.) 네? 아⋯

               9년 전⋯ 당신을 파티에서 처음 보았을 때⋯ 이름도 듣지 못한 채로 헤어졌습니다.

베아트리체   베아트리체 폴코 포르티나리. 베아트리체라고 불러주세요.

단테   베아트리체. 나와 함께해주세요.

8

베아트리체 (웃으며 꽃 묶음은 숨긴 채 돌아다니며 계속 조금씩 묶음을 만든다.)

(약간의 장난 섞인 말투로) 전 당신의 이름을 모르는데요?

단테 (베아트리체에 빠져서 정신이 없다.) 아, 제 이름을 알려드리지 않았군요. 단테라고 합니다. 단테 알리기에리…

베아트리체 (웃으며) 반가워요.

단테

Verse 1

기억하나요

오래 전에 우리 처음 만난 날

함께 춤 췄던 파티를

이제 나 깨달아요

그대만이 날 숨 쉬게 해

그대만 생각하면

완성되는 나의 문장

베아트리체 (웃음. 편지를 받아 든다.)

베아트리체

Verse 1-1

오, 단테

나 그대를 처음봤던 그날도

웃음 짓던 우리들도

전부 다 떠올라요

그때 출발한 그 마음이

지금에서야 마주쳤죠

시간 앞의 우리 둘

나 그대 손 잡아 볼게요

단테, 베아트리체

[베아트리체]

Chorus

나 그대와 함께

영원히 곁에

시간이 우리를 갈라 놓아도

당신과 영원히 함께

사랑해 볼게요

[그럴 수 있겠죠]

베아트리체

Verse 2

이런 기분은 느껴본 적 없어요

이런 광경도 난 본 적 없죠

왠지 모르게 당신의 글에는

내가 품을 수 있는

활짝 핀 이 꽃처럼

작은 빈 자리가 느껴져요

단테

Verse 2-1

이런 사랑은 느껴본 적 없어요

당신만을 기다려 왔죠

조심스럽고 망설여지지만

이 꽃을 볼 때마다

당신만을 떠올려

/입장/ **시간**

당신만을 생각할게요

단테

Bridge

시간이 멈췄으면 좋겠어요

당신을 볼 때마다

시간　　　(단테와 베아트리체를 돌아본다.)

단테, 베아트리체

[시간]

Chorus

나 그대와 함께

영원히 곁에

[난 네 곁에 영원히]

시간이 우리를 갈라 놓아도

당신과 영원히 함께

[넌 나를 찾아 올 거야]

사랑해 볼게요

END.

베아트리체   (단테를 보고 웃으며 나간다.)

       /퇴장/ **베아트리체**

단테   (베아트리체가 준 꽃 묶음을 들고 바라본다. 따라 나서려던 순간)

시간   (주머니에서 시계를 꺼내 열고 시간을 확인한다. '인연의 시작.')

            (뒤 쪽에서) 그 꽃이 시들지 않길 바라는 거지..?

단테   (목소리에 놀라서) 누굽니까?

시간   내가 멈추었으면 좋겠나?

단테   (쳐다본다. 정적.)

시간   난 시간이야.

단테   간..?

시간   아니… 시간이라고.

단테   (정적.) 말도 안 돼… 시간? 그 시간 말입니까?

시간   맞아.

단테   이름은..?

시간   그런 건 없어.

단테   언제부터 날 따라왔던 겁니까?

시간   (작게 웃는다.) 아주 오래 전이지.

단테	오래 전이라면…
시간	네가 이 세상에 태어난 순간부터. 실은 그보다 더 오래전. 네가 날 찾을 줄 알았거든.
단테	그건 어떻게…
시간	네가 이미 다 경험했던 일들이니까… 단테, 어디선가 본 것 같지 않아? 이제 네 기억은 사라지고 감정만 남을 거야.
단테	무슨 소리를 하시는지 모르겠습니다… (애써 웃어 보인다.) 저는 가 봐야겠어요. 베아트리체가 정원에서 절 기다리고 있을 겁니다.
시간	도망치려 해봤자 소용없어.
단테	(멈칫한다.)
시간	네가 태어난 순간부터, 한 줄기 어둠이 너와 함께했으니까.

/퇴장/ **단테**

시간	예술은 원래 아프고 쓰린 법이야 단테. 그런 작품만이 후대에 남겨질 가치가 있지. 절망의 운명 안에서… 많은 예술가들이 날 찾아 왔지만, 결국 날 극복할 수 있다고 믿은 사람은 없었어. (깃펜을 꺼내 들며, 조명 스폿. 시간이 흐름을 나타내는 조명) 단 한 명도…

(깃펜 focus. 단테의 방 책상에 놓인 펜꽂이에 깃펜을 꽂고 나간다.)

/퇴장/ **시간**

ACT [1]

SCENE [4] 단테의 방-정원 [단테-베아트리체]

/입장/ **베아트리체, 단테**

단테는 자신의 방, 베아트리체는 자신의 정원에 있다.

13

단테   (독백) 베아트리체… 당신만이 내 문장을 완벽하게 만들어. 이건 당신 없인 절대 이루어질

수 없는 단어들의 연속이야.

START. 02. 내 안의 그대

단테   믿을 수 없이 아름다워.

단테

Verse 1

내 글의 의미가 달라졌어

내 글에 담긴 그녀 목소리

그녀를 만나고 모든 게 확실해진 거야

나 이제 알겠어

그녀 내게 영감을 줘

그녀 내게 행복을 줘

그녀 내게 사랑을 줘

/입장/ 베아트리체

Chorus

꿈 속에 있는 걸까

나 꿈꾸는 게 분명해

당신을 보면 내가 보이고

나를 보면 당신이 보여

사랑하는 베아트리체

나 그대 있기에 글을 써

분명 이전과 달라

나 그대 있기에 살아가

14

베아트리체

Verse 1-1

내 삶의 의미가 달라졌어

내가 채워 줄 수 있는 한 사람

그댄 날 숨 쉬게 해

이제 나는 그대 옆에

Verse 2

어딘가 허전한

그대의 마음

그 문장으로 난 느낄 수 있죠

Verse 3

나 알 것도 같아

내가 당신에게

줄 수 있는 빛 한 줄기

Chorus

그대의 문장 안엔

날 품을 공간이 있어

당신을 보면 내가 보이고

나를 보면 당신이 보여

사랑하는 단테, 그래

나 그대 글에서 나를 봐

내가 채워 줄게요

나 그대 있기에 살아가

베아트리체

[단테]

Bridge 1

날 깨닫게 해 줘

그 소중한 마음을

무슨 일 있어도 그대를 떠나려[슬프게] 하지 않을게

단테, 베아트리체

[단테]

Bridge 2

[9년을 기다렸어]

그런 만큼 더욱 더 소중해

행복한 미랠 그려

단테, 베아트리체

[베아트리체]

Chorus

꿈 속에 있는 걸까

16

나 꿈꾸는 게 분명해

당신을 보면 내가 보이고

나를 보면 당신이 보여

사랑하는[영원토록] 그대, 그래

나 그대 눈[글] 속 나를 봐

순간의 감정 아냐

나 그대 있기에 사랑해

단테

[베아트리체]

Outro

[그대 빈 곳을 채워 줄게요]

그댈 닮은 꽃을 나의 곁에

[나 그대와 영원토록]

그대 곁에서 영원토록

함께[함께]

베아트리체　(정원에서 단테 쪽을 바라본다.)

단테　(책상의 펜꽂이에서 깃펜을 꺼내 들고 종이에 글을 쓴다.) 그녀가 내게 준 선물이야…

베아트리체… (사랑에 빠진 듯한 얼굴) 이제는 내 모든 문장이, 당신을 위해 존재해. 쉼표와 느낌표 하나까지. 내 글은 이제 완벽해질 거야.

베아트리체　단테… 처음 느껴보는 이 느낌이 진짜인지 헷갈려.

단테	베아트리체… 당신을 다시 만나게 해 준 신께 감사해. 만약 천국에 갈 수만 있다면 이런 느낌일까?
베아트리체	하지만 왜인지, 당신을 처음 본 이후로 어제까지 내 마음을 어지럽게 했던/ 것들이…
단테	이젠 영원히 함께…/
베아트리체	사라져 가…/
단테	베아트리체… (책상을 정리하고 펜꽂이에는 깃펜을 꽂는다.)

(암전.)

/퇴장/ **베아트리체, 단테**

END.

ACT [1]

SCENE [5] 의사의 방 [의사, 베아트리체]

〈06.17〉

/입장/ **의사**

(조명 ON.)

/입장/ **베아트리체**

의사	꽃이 핀 지 얼마 안 된 것 같은데… 벌써 다 죽어가네요. 시간이 참 빠르죠.
	오랜만이네요. 그 동안은 잘 지내셨나요?
베아트리체	(격앙된 목소리로) 뭔가 잘못된 것 같아요.
의사	심호흡을 한 번 하시고 천천히 증상을 말씀해 보세요.

18

베아트리체 　최근 들어 제가 이상해진 것 같아요. 기분이… 갑자기 이유 없이 기분이 좋아질 때도 있어요. 속이 울렁거리고, 심장도 불규칙하게 뛰는 것 같고요.

의사 　증상은 언제부터 시작됐나요?

베아트리체 　일주일이 채 되지 않은 것 같은데… 사실 최근에 어떤 사람을 만났거든요. 그 후부터인 것 같아요.

의사 　어떻게 만난 분이죠?

베아트리체 　오래 전 파티에서 본 사람인데, 최근에 다리 앞 정원에서 운명처럼 다시 만나게 됐어요. (밝은 목소리로) 그 사람은 글을 쓴대요. 자기가 쓴 글을 보여줬는데, 그 사람의 글을 읽으면…

　(꿈꾸는 것 같은 표정을 짓다가 확신을 느끼며) 그 사람의 글 때문인 것 같아요! 그 사람의 글을 읽으면 마음이 쓰여요. 마치 길에서 혼자 울고 있는 어린아이를 볼 때처럼… 안아주고 싶달까요.

의사 　심각한 일은 아니겠지만, 진단을 내리기 전에 최면치료를 진행해야 할 것 같습니다. 정확한 상태를 파악하기 위해서이니, 너무 걱정하지 않으셔도 됩니다.

　(긴장감이 도는 정적.)

　괜찮으실까요?

베아트리체 　(끄덕인다.)

의사

그럼, 크게 심호흡을 한번 해보세요.

START. 03. 그 깊은 곳에서

자, 이제 눈을 감고…

19

Verse 1

캄캄한 눈 앞 풍경

서서히 빛이 밝아 오면

지금 당신 앞에 있는 사람은

누구인가

베아트리체

Verse 2

한 손에 깃펜을 꽉 쥐어 들고

나에게 진실한 사랑을 노래해

그 이가 풀어내는 사랑의 멜로디

아름다운 문장되어 날 포근히 감싸 안아

Verse 1-1

반짝이는 눈 앞 풍경

여전히 나를 보고 손 흔들어

나도 모르게 끌어 안고 말았어

그 사람을

Verse 2-1

여전히 깃펜을 움켜 쥐고선

나에게 영원한 예술을 노래해

그 이가 풀어내는 운명의 멜로디

다만 내겐 보여 당신의 텅 빈 구석

내가 채워

의사, 베아트리체

[베아트리체]

Chorus 1-1

이런 기분 대체 뭘까

정의할 수 없겠죠[없었어]

이런 기분을

너[나]도 모르게 품에 안고

그의 허전함 채워

널[날] 완성하네

END.

의사　　어떤 감정이… 아니, 느낌이 듭니까?

베아트리체　제가 그 사람을 안아줬어요… 이 기분은 뭘까요? 처음 느껴보는 기분이에요. 글… 그의 글을 보면 제 자리가 보여요..! 꼭… 그의 글을 통해 저를 설명할 수 있을 것만 같아요.

의사　　감정으로 설명한다면…

베아트리체　감정이요?

의사　　지금 어떤 감정을 느끼고 있는지 설명하기 어려우시죠?

베아트리체　(끄덕인다.)

의사　　환자분처럼 감정을 잘 느끼지 못하거나, 감정에 이름을 붙이는 데 어려움을 겪는 사람들은 힘든 일이 생기면 바로 몸이 아프곤 합니다. 감정을 표출하는 행위가 일종의 쿠션이 돼서 몸이 아픈 걸 막아주는데, 환자분은 그 쿠션이 없으니 신체가 스트레스에 더 예민하게 반응하는 거죠.

21

(나가려다가) 하지만 최면만으로는, 완벽한 진단이 어렵습니다. 더 정확한 진단을 받고 싶으시면 골상도를 의뢰해야 합니다. 더 오랜 시간이 필요하니… 경과를 보고 결정하도록 하죠.

START. 03a. 산타 트리니타 2

베아트리체

Verse 1

나 그대의 곁에

한 번 더 함께

혼란이 내 맘을 흩어 놓는다 해도

싫지만은 않은 이 감정

당신이 보고파

END.

의사 스트레스를 유발할 만한 상황은 피하는 게 가장 좋습니다. 그 분 때문에 혼란스러우시다면, 그 분을 만나지 않는 게, 환자분의 건강에도… 마음의 평화를 찾는 데에도 도움이 될 겁니다.

START. 03b. Suspenseful Underscore

/퇴장/ **의사, 베아트리체**

(암전.)

ACT [1]

SCENE [6] 단테의 방 [단테, 시간]

©2023. 황준 이수빈(가사) All rights reserved.

END.

/입장/ **단테**

(조명 ON.)

| 단테 | (펜꽂이에서 깃펜을 뽑아들고 글을 쓰고 있다.) |

/입장/ **시간**

| 시간 | (단테의 뒤로 나타난다.) |

| 단테 | (펜을 놓고 쓰던 종이를 집어든다.) 완성했어. |

| 시간 | 첫 작품이구나. |

| 단테 | (시간이 왔음을 인지한다.) 그녀를 위한… 아니. 베아트리체에 의한 내 첫 감정이야. |

| 시간 | 그게… 마지막일 수도 있지. |

| 단테 | (힐끗 본다.) 내가 죽는다는 소리처럼 들리네. |

| 시간 | 날 처음 만났을 때 빌었던 소원, 아직 그대로인가?

(협탁 위 꽃병의 꽃을 보며) 시들어가기 시작하는데.. |

| 단테 | 너도 알잖아. 우리 관계가 얼마나 깊어졌는지… 난 매일 그녈 생각하고, 그녀와 함께 웃다 잠에 들고 싶어. 이제 그녀 없는 세상은 상상조차 할 수 없으니까…그 시간에 머물려고 했던 건, 정말 어리석은 생각이었어. |

| 시간 | (옅은 웃음) 그럼 나와의 관계는 소원해지겠구나. |

| 단테 | 무슨 뜻이야. |

| 시간 | 내가 더 이상 필요없다는 소리처럼 들리네. |

23

단테　　　나에게 해 줄 수 있는 일이 시간을 되돌리거나 멈추는, 뭐 그런 것뿐이라면.

시간　　　(옅은 조소가 섞인 채) 과거로 돌아가고 싶지 않아? 원한다면… 돌아가게 해 줄 수도
　　　　　있는데.

단테　　　(깃펜의 잉크를 찍으며) 모든 게 그녀로 인해 좋아졌는데.

시간　　　그녀를 진심으로 사랑하는구나. 예전에, 네가 얻기를 기도했던… 그 완벽한 예술성은 뒤로
　　　　　한 채로 지금처럼/

단테　　　뒤로 한 게 아니지. 이제 그녀가 나의 예술성 그 자체니까. 뭘 해도 만족스럽지 않던 내
　　　　　글들이, 베아트리체를 통해 완벽해지고 있어.

　　　　　(생각에 빠져든다.) 아니야… 네 말이 맞는 것 같아. 난 이제, 그녀를 통해 완성된 내 글을
　　　　　사랑하는 게 아니라, 내 문장을 완벽하게 해 주는 그녀를 사랑하는 거야. 그녀를
　　　　　진심으로… 사랑해.

시간　　　받아들일 수 있겠어?

단테　　　(멈칫한다.)

시간　　　베아트리체가 사라진다 해도..

단테　　　베아트리체가 왜 사라지지?

시간　　　그녀는 너의 위대한 걸작을 위해 태어난 존재니까. 아직 네 예술성은 완전해지지 않았어.

　　　　　(단테를 보며) 베아트리체가 너의 예술을 완성시켰다는 건 착각이야. 아직은…

단테　　　(글을 쓰려다 멈칫하고 쳐다본다.) 무슨 말이 하고 싶은 거야?

시간　　　너에겐 예술가의 시간이 흐르고 있어, 단테.

단테　　　(스스로의 글을 보며 당연하다는듯이) 당연하지. 난 예술가니까. 눈을 감으면,
　　　　　베아트리체를 향한 내 모든 감정이, 빠져들 수밖에 없는 문장으로 내 앞에 떠오르거든.

시간　　　넌 그것보다 더한 운명을 가지고 태어났어.

단테　　　(본다.)

24

시간	훗날 많은 사람들이 너의 작품을 보게 될 거야. 100년 후, 200년 후, 그보다 더 먼 미래에도.
단테	(옅은 웃음) 나는 더 이상 내 작품을 후대에 남길 생각이 없어. 유명해질 생각도 없고. 말했잖아. 그런 완전한 예술을 추구했던 건, 과거의 나라고. 나는 이제 오직 베아트리체만을 위해…
시간	(조용히 웃는다.) 제목은 정했어?
단테	(그런 시간을 보며) 천국..? 〈천국〉이라고 지어야겠어.
시간	그래. 하지만 내가 너에게서 기다리는 건, 지금 네 앞에 있는 그 작품이 아니야. 단테,
단테	(쳐다본다.)
시간	모든 위대한 예술은, 결핍과 절망의 시간이 누적된 기록이야..
단테	(옅은 조소) 그런 기준에서라면.. 이 세상에 위대한 예술은 찾아보기 힘들겠네. (창 밖을 쳐다보고 시간을 보며) 베르길리우스. 여길 봐봐.
시간	(멀찍이 단테의 뒤에 서 밖을 보는 단테를 본다.)
단테	세상이 이렇게 아름다운데, 이런 곳에서 결핍과 절망이라니. 생각해 보면, 꼭 내가 그런 시간을 겪게 될 거라는 것처럼 들리네. 그런 건가?
시간	(협탁 위에 있는 조금씩 시들어가는 꽃을 다시 본다.)
단테	아니면, 시간이라서 미래를 아나?
시간	미래는 네가 만들어가는 거야, 단테. 내가 알 수 있는 건 미래가 아닌 과거일 뿐.
단테	과거라면 나도 기억해 낼 수 있어. 어제도, 일 주일 전도, 아니.. 9년 전 베아트리체를 처음 만난 그날도 아직까지 이렇게 생생하게 떠올라. 물론 내가 널 처음 찾았던 날도 기억하고.
시간	(같이 작게 웃으며) 내게 처음으로 이름을 지어준 것도 너고..
단테	내가 처음일 거라고는 생각 안 했는데.
시간	다른 예술가들은.. 나를 극복할 수 없다고 믿었어.

25

(정적.)

단테   물론 나도 처음엔 그랬어. 너를 처음 만났을 때. 하지만,

(시간을 한번 쳐다본다.) 하지만, 두려워 할 필요가 없잖아. 뭐, 네가 내 수명을 앞당겨서 죽게 만들 것도 아니고 말이야. 이제 더 이상 시간을 멈추고 싶은 생각도 없는데.

시간   그건 모를 일이지.

단테   뭐? 그나저나 네가 한 말과 내 반응까지… 어딘가 익숙하네.

시간   어디선가 본 것 같다는 건 어쩌면 네가 이미 다 경험했던 일들일지도 몰라. 기억은 사라지고 감정만 남은 거지.

단테   며칠 뒤에 베아트리체를 만나러 갈 거야. 그 전에 그녀에게 선물할 시를 써야겠어.

시간   (떠나지 않고 계속 옆에서 지켜본다.)

단테   (신경쓰이는지) 거기에 계속 그렇게 있어야겠어?

시간   (미동도 없이 그 자리에 가만히 있는다.)

단테   알았어. 언제가 될지는 모르겠지만 그 위대한 예술, 쓰게 되면 내가 널 찾을게.

START. 04. 사랑과 절망의 소나타

/퇴장/ **시간**

단테   (다시 글을 쓰기 시작한다.)

(조명 변화, 시간이 하루씩 흐른다.)

ACT [1]

SCENE [7] 단테의 방-정원 [단테-베아트리체]

단테

Verse 1

(베아트리체에게 보낼 시를 쓰며)

사랑하는 베아트리체

오늘 하루도 행복했나요

그대 곁에 없어도

난 오늘도 당신만을 떠올리며

Chorus 1

사랑하는 당신을 노래하며

한참을 웃다

잠에 들어요

당신과의 미래를 그려보면서

펜을 움직여

그게 나의 사는 이유

(조명 변화)

/입장/ **베아트리체**

베아트리체

Verse 1-1

(단테가 보낸 시를 읽으며 답장을 쓴다.)

그대가 그리워요 단테

매일을 당신만을 생각해요

당신의 글들은 언제나

내 곁에 살아 숨 쉬는 듯해

Chorus 1-1

보고 싶은 당신을 생각하며

편지를 써요

이 맘 서툴지만

당신 앞의 내 모습 그려보며

날 찾아 가고 있죠

(조명 변화)

단테   (문 밖에서 편지를 받아 온다.)

단테

Verse 2

사랑하는 베아트리체

편안하게 지내고 있나요

그대가 준 편질 보니

손을 떨며 써내린 것 같아

그곳에서 마음 편히

지내다 와요

당신 마음 전부 내게

전해지니까요

28

Chorus 2

당신 멀리 있는 하루 하루

어느새 길어져도

내 마음 항상

그대 곁에 남아

당신 내게 주는 영감으로

나 다시 그대 만날 수 있길

(조명 변화)

베아트리체

Verse 3

나도 모르겠어요

내 마음이 어디가 잘못된 건지

나도 알 수가 없어

당신 향한 내 마음

진실이 아니었나 두려워

이제 내 마음을 알게 될 그때까지

나의 이 마음이 확실해 질 때까진

단테

Chorus 3

당신 마음엔 의심이 없어요

내가 그댈 볼 수 있게

우리 만나기로 한 날 지나가고

당신 없이는 견딜 수 없어

> *그대 두려워 말고 나와 만나*
>
> *마음을 확신해 줘요*

/퇴장/ **단테**

(조명 변화)

04. 사랑과 절망의 소나타 Underscore

/입장/ **의사**

의사   안색이 더 안 좋아지신 것 같습니다. 그 분을 만나고 계신 건 아니겠죠? 제가 그렇게 말씀드렸는데요.

베아트리체   만나진 않았어요.

의사   감정과 신체는 연결되어 있어요. 감정이 당신을 힘들게 하고 있는 겁니다, 베아트리체. 혼란에서 벗어나 평정을 찾아야 건강도 돌아올 겁니다. 이젠 정말 그 분을 그만 만나셔야 합니다. 조용한 곳을 다녀오는 것도 좋아요.

베아트리체   그 사람은 저 없으면 안돼요.

의사   베아트리체! …. 부디… 자신을 먼저 챙기셨으면 합니다.

(털어버리려는 듯이 고개를 흔들고) 일단 약을 처방해드리겠습니다. 이 약은 다른 치료와 병행해야 효과가 드러납니다. 입원도 고려해보세요.

베아트리체   네. (의사의 말을 제대로 듣지 않은 채)

/퇴장/ **의사**

(점암전.)

04. 사랑과 절망의 소나타 Cont.

/입장/ **단테**

베아트리체

[단테]

Verse 4

이런 날이 오지

않길 바랐는데

결국 난 져버린 거예요

[괜히 겁에 질려]

[걱정 말아요]

[행복이 우릴 기다려요]

(조명 변화)

베아트리체

Verse 5

(어딘가 안 좋아 보이는 안색)

계속 손이 떨려 와요

내 몸이 이상해요

이제 펜을 들 수도 없어

이젠 볼 수 없을까 두려워

31

베아트리체, 단테

[단테], (베아트리체)

Chorus 1-3

(자리에서 일어나서)

하지만 그댈 향한[나의 모든] 편진 내 마음[그대 맘] 속에

영원히 남아

따뜻해질 거예요

괜찮을 거예요

(견뎌내 볼게요)

하지만 그댈 향한 편진

내 마음 속에 영원히 남아

END.

단테	(편지를 집어들며) 베아트리체..!

(점암전 & fx.)

/퇴장/ **베아트리체**

벽에 꽂혀 있었던 살짝 시들었던 꽃은 완전히 시든 채로 꽂혀있다.

단테	(믿을 수 없다는 듯이) 사랑하는 단테. 이 글을 보고 있다면 이미 날 찾을 순 없을 거예요. 우리가 함께한 시간은 너무 빨리 지나갔어요.. 다시 그때로 돌아가고 싶어요. 천국에서.. 다시 만난다면, 그때 꼭.. 인사해 줘요..

32

START. 05. 희망의 끝, 길을 잃고

단테

Verse 1

난 이제 어떻게 살아가나

난 이제 어떤 글을 써야 하나

그녀는 내 삶을 반짝이게 한 단 한 사람

사랑으로 보듬어 영감을 준 단 한 사람

Verse 2

그녀 없는 삶 상상해 본 적조차 없어

아니!

그녀 없는 삶 상상하기조차 싫었어

무자비하고 잔혹한 나의 운명이여

서서히 다가와 내 숨통까지 조이네

그녀 위한 나의 노래

결국 닿지 못하나

Chorus 1

나도 져 버리고 말았나

아무도 모르던 운명 앞에

믿어선 안 되는 거였나

행복하리라 확신했던 우리 미래

과거로 돌아갈 수만 있다면

단테 (무언가 떠오른 듯 멈칫한다.) 과거로 돌아갈 수만 있다면..!

33

END.

(숲 조명. 포그. from S#2)

단테   시간… 베르길리우스..!

        (뛰쳐나간다.)

/퇴장/ **단테**

ACT [1]

SCENE [8] 숲 [시간]

START. 06. 시간의 유산

시간

Verse 1

인간들은 항상

/입장/ **시간**

잊곤 해

고운 장미를 손에 넣기 위해선

날카로운 가시에 찔려야 한다는 걸

인간들은 항상 잊곤 해

장미의 매혹적인 붉은 빛이

실은 가시에 흐른 피로 완성된다는 걸

34

Verse 2

절망이 가져오는 결말이

증오뿐인 건 아니야

고통이 가져오는 결말이

파멸 뿐도 아니지

작은 소년의 성장을 위한 관문일 뿐

Chorus 1

난 알 수 있어

겹겹이 쌓인 시간의 유산

그 속 가장 빛나는 건

바로 아름다운 비극

난 알 수 있어

겹겹이 쌓인 시간의 유산

그 속 가장 영원한 건

바로 예술가의 눈물

Verse 1-1

인간들은 항상 잊곤 해

운명의 소용돌이 속 흘러넘친 눈물을

벗어날 수 없는 그 시간

좌절의 눈물이 예술의 싹을 틔웠던 과거를

Verse 2-1

절망이 가져오는 눈물이

허무하기만 한 건 아니야

고통이 가져오는 눈물이

가치 없는 건 아니지

작은 소년의 성장을 위한 관문일 뿐

Chorus 1-1

난 알 수 있어

덧쓰고 덧그린 시간의 기록

그 속 가장 빛나는 건

바로 예술가의 절망

난 알 수 있어

덧쓰고 덧그린 시간의 기록

그 속 가장 영원한 건

바로 예술가의 눈물

Bridge

단테…

난 그에게서 이 모든 걸 느꼈어

그의 영혼은

영원히 남을 거야…

고통과 절망의 위대한 예술 속에…

Chorus 1-2

난 알 수 있어

차곡하게 모은 시간의 유산

그 속 가장 빛이 나는 건

바로 예술가의 눈물

난 알 수 있어

차곡하게 모은 시간의 유산

그 속 가장 영원한 건

바로 아름다운 절망

Chorus 1-3

너는 달랐어

그녀만을 향해 달려갈수록

절망이 예술을 낳는

네가 외면했던 운명

END.

(암전. & 조명변화)

/퇴장/ **시간**

/입장/ **베아트리체**

(조명 ON.)

START. 07. 천국의 그림자

베아트리체

Verse 1

나 자신도 몰랐던 이야기

느껴본 적 없는 감정

그댈 만나고 처음 겪었어

그리고 난 다시

낯선 기분을 마주해

Chorus 1

결국 이 곳에 다다랐어

이제 알 수 있어 나라도

서서히 다가오는 죽음의 그림자

내 마지막 순간이란 걸

Verse 2

내가 채워 줄 수 있는 그대

다신 만날 수 없겠지

다신 느낄 수 없겠지만

가슴 벅찬 이 설렘을

Chorus 2

결국 당신과 이별이군요

이제 깨달았어 완전히

서서히 피어나는 추억의 조각들

전부 두고 떠나야겠죠

Bridge

단테… 당신과, 당신 곁에서 느꼈던 그 감정들을

이렇게 남겨두고 떠나야 하는 운명을 바꿀 수 없다면…

천국에서 기다리고 있을게요.

꼭… 다시 만나요.

Chorus 2-1

결국 우리 헤어지지만

이제 믿고 있어 확실히

우리가 다시 만날 천국을 향하여

그곳에서 기다릴게요

END.

/퇴장/ **베아트리체**

ACT [1]

SCENE [9] 숲 [시간, 단테]

/입장/ **단테**

단테   베르길리우스..!

       (손전등을 들고 숲을 떠돈다. 시간의 이름을 외치며 시간을 찾는다.) 베르길리우스…

  (점암전 & 조명변화 & fx. from S#8.)

/입장/ **시간**

단테   (점암전 & 조명변화 도중에. 혼미한듯 쓰러져 잠이 든다.)

시간   (앞선 장면에서와는 사뭇 다른 느낌이다.) 단테..

단테   (정신을 차리며 눈을 뜬다. 흠칫하며 시간을 보고.) 누구..?

시간   (일어나려고 하는 단테의 손을 잡아주며) 나야.. 시간.

단테   (정신을 차리며) 시간..? 베르길리우스.

시간   그래.. 이번엔 네가 날 찾은 거야.

단테   몰라볼 정도로 변했어. 정말 너야?

시간   너는 내가 변한 거라고 느끼겠지만, 사실 변한 건 너야 단테. 넌 이제 예술성을 버리고 그녀를 선택했잖니.

       (단테를 깊이 쳐다보며) 시간은 변하지 않아. 그냥 계속해서 흐를 뿐이라고…

       (움직이자 꽃잎 한 개가 떨어진다.)

  (Dim.)

단테   (멈칫한다.)

시간   (단테를 바라보기만 한다.)

40

난 네가 걸음마를 떼는 것부터, 말을 익히는 것, 그리고, 첫사랑을 만나는 순간까지 함께했어. 네가 나를 처음 찾은 그 날도 생생히 기억해. 네가 글 대신 그녀를 선택한 이 순간, 역설적이게도 너의 예술성이 깊어질 시간이구나.

단테　　(흐느끼며 시간 앞에 무릎꿇고 엎드린다.) 베르길리우스… 나를 좀 도와줘… 그녀가 죽었어.

시간　　(그런 단테를 쳐다본다.)

단테　　(시간을 붙들며) 돌아가줘. 과거로… 정말… 정말 뭐든 할게..! 제발./

시간　　대신 조건이 있어. 베아트리체를 보기 위해 과거로 돌아간다면, 너는 이 상태로 그녀의 앞에 설 순 없어.

단테　　무슨 말이야?

시간　　그녀가 죽기 전 가장 가까웠던 사람. 그 사람의 모습과 영혼으로 그녀 앞에 서게 돼.

　　　　　(끼어들려는 단테를 막으며) 또, 그곳에서는 네가 지금 가지고 있는 기억을 모두 잃은 채로, 지금의 네 감정만 가진 상태로 그 사람이 되는 거야. 그리고 넌 지금 여기서, 변한 과거의 네 모습과 베아트리체를 지켜보게 될 거야.

단테　　상관없어. (생각하다가) 당연히 그녀와 가장 가까웠던 사람은 나니까. 내가 지금까지의 기억은 잃고, 베아트리체를 사랑하는 감정만 남아있는 상태로 그녀를 만나게 되면.. 결국, 내가 나로 변하는 거 아니야?

시간　　그건 말해 줄 수 없어.

단테　　(잠시 고민한다. 하지만 답은 이미 결정되어 있는 듯) 괜찮아. 분명히 나로 변할 거야. 베르길리우스..! 나를 과거로 돌려줘./

시간　　남은 조건이 하나 더 있어.

단테　　(다른 그 어떤 조건이라도 받아들일 준비가 되어있는 듯. 하지만 두렵다.) 그건 뭔데..?

시간　　시간을 거스른 사람이, 그 일을 후회하지 않는다면, 나는 일주일 후 시간을 다시 현재로 되돌릴 거야. 하지만 만약. 만약에… 자신의 선택을 후회한다면, 나는 그 사람의 시계를 인생 끝으로 돌려, 명을 다하게 만들 거야.

단테　　(무섭지만 결심을 한 듯) 그게 시간의 규칙이라면…/

시간   잘 생각해 단테. 모든 위대한 예술의 걸작들은 이렇게 탄생했어… 그걸 만든 예술가들

　　　　모두, 이렇게 죽었어.

단테   (쳐다본다.)

시간   네가 죽으면, 나는 너의 글을 후대에 전할 거고.

단테   고민할 필요없어. 나는 나로 변하는 거니까. 달라질 건 없어.

시간   (단테를 연민하는 눈빛.) 후회하지 않을 자신… 있어?

단테   결심했어.

START. 08. 위대한 예술의 시작

단테   과거로 돌아가줘. (시간에게 손을 내민다.)

시간   (단테에게 의자에 앉으라는 듯 손을 내밀며) 그래.

ACT [1]

SCENE [10] 숲-의사의 방 [시간, 단테-의사, 베아트리체]

시간

Verse 1

너는 그래 잊고 있었어

고운 장미를 손에 넣기 위해선

날카로운 가시에 찔려야만 한다는 걸

너는 그래 듣지 않았어

위대한 예술 위한 결핍, 절망

네 사랑은 절망을 통해 예술로 완성될 거란 걸

42

단테

Verse 2

내 사랑이 가져오는 결말이

환희뿐이리라 난 믿었어

내 사랑이 가져오는 결말이

아름다운 내일뿐일 거라고

단테

[시간]

Chorus 1

나 그대에게로 다시 [다시 한 번]

이 순간 나 다시 [네 사랑 찾아]

운명이 우리를 갈라 놨대도 [다시 그녀에게 돌아간다면]

당신과 영원히 함께

그 약속 지킬게요

시간

Verse 1-1

넌 그래 후회 없겠지

너의 전부였던 그녈 만날 테니

너의 문장 지휘하는 그녀와 다시

넌 그래 확신하겠지

돌아가도 그녀 곁엔 네 모습이

돌아가면 다시 네 사랑 찾을 거라

단테

Verse 2-1

내 기억 속 거짓 없던 우리 사랑

나 말고는 누구도 더 없을걸

감정만이 돌아간다 하여도

다른 누구 아닌 나만이

그 감정의 주인일걸

단테

[시간]

Chorus 1-1

나 그대에게로 다시 [다시 한 번]

이 순간 나 다시 [네 사랑 찾아]

운명이 우리를 갈라 놨대도 [다시 그녀에게 돌아 간다면]

당신과 영원히 함께

그 약속 지킬게요

/입장/ **의사, 베아트리체**

의사의 방 조명 OPEN되며 베아트리체가 S#5 의상 그대로 들어온다. Chorus 1-1이 끝나고 BRIDGE가 시작할 때 의사는 S#5 의상 그대로, 뒤돌아 있다.

시간

Bridge

단테, 네 마음이 확실하다면

지금 네 눈 앞에 어떤 광경이 벌어지든…

후회해선 안 돼

44

단테의 얼굴이 아닌 완전히 제 3자이다. 모든 조명 focus. 이를 지켜보는 단테. 베아트리체와 가장 가까운 사람이 자신이 아닌 의사였다는 것과 이 일을 자신이 통제할 수 없을 것만 같아 절망하며 절규한다. 의사와 베아트리체를 넋이 나간 듯 바라보는 단테. 그리고 그를 지켜보는 시간.

단테

Chorus 2

난 알 수 있어

영원하자 말한 우리의 사랑

다시 돌아가도

그녀 곁엔 내가

무슨 일 있어도

항상 내가 있었으니

08. 위대한 예술의 시작 Stop.

의사 (베아트리체에게 앉을 것을 권하는 동작을 하며 뒤돈다.) 무슨 일로 오셨나요?

베아트리체 (객석을 본 채로 단테 의자에 앉으며 의사를 본다.)

08. 위대한 예술의 시작 Cont.

단테

[시간]

Chorus 3

왜 그대 곁에 그가 [후회 말아]

45

나 아닌 누군가 [네 사랑 찾아]

운명이 우리를 갈라 놓았다 해도 [다시 그녀에게]

어째서!

당신의 가까이엔 그가 [또 하나의 너]

그는 대체 누구인가

END.

(암전.)

(INTERMISSION)

ACT [2]

SCENE [11] 의사의 방 [의사, 베아트리체, 단테, 시간]

START. Entr'acte

(암전.)

〈05.17〉

END.

/입장/ **All**

베아트리체는 의자에 앉아 있다. 그 뒤에 깃펜을 들고 서 있는 의사. 협탁 위 꽃병에는 1막의 꽃이 꽂혀있지 않다.

(조명 ON.)

의사   아, 오랜만입니다. 기다렸어요… 무슨 일로 오셨습니까?

베아트리체 (정면을 보고) 제가 느끼는 감정이 진짜 감정인지 헷갈려서요.

의사   (환자를 대하듯, 베아트리체를 보았지만 그의 모습에 반한다. 단테의 감정이 남아있기에. 이 생각을 억누르고) 증상은… 선천적이십니까?

베아트리체 (고개를 끄덕인다.)

의사   환자 분이… 본인 감정의 진위를 의심하는 이유를 여쭤봐도 될까요.

베아트리체 저는 정말로 어떤 일이 원인이 되어서 감정을 느끼는 게 아니라, 단지… 단지 그 상황에서는 그런 감정을 느끼는 게 맞다고… 그렇게 생각하면서 살아온 것 같아요.

47

이런 베아트리체와 의사를 시공간이 분리된 곳에서 보고 있는 단테와 그의 뒤에 서 있는 시간.

의사　　(종이를 보며 생각을 하다가 다시 베아트리체를 바라보며) 제가.. 다른 환자분들에게도 말씀드리는 거지만, 매 순간 자신의 감정을 확신하는 사람은 극히 드뭅니다. 환자분이 겪는 혼란도, 다른 사람들과 별반 다르지 않은./

베아트리체　하지만, 제 마음은 제가 잘 알아요. 저는 제가 채워줄 빈 자리가 있는… 그런 완벽하지 않은 대상에게 끌려요. 남들이 하는 사랑 얘기도… 와닿지 않아요. 그래서, 저는 늘 남들과 다르다고 생각했어요.

단테　　베아트리체…/

시간　　단테.

의사　　다른 사람의 표정이나 행동을 따라해서 감정을 흉내내려고 해보신 적도 있으신가요?

베아트리체　네..! 하지만, 연민과 사랑이 헷갈려요. 제일 혼란스러운 건, 남들이 말하는 사랑은 제게 연민이고, 그들이 말하는 연민이 저한테는 사랑이라는 거예요. 저에게도… 어딘가 채워지지 않은 빈 구석이 있는 걸까요?

의사　　일단 약을 처방해 드리겠습니다. 이건, 자신의 생각과 감정에 대한 의심을 없애주는 데 도움을 줄 겁니다.

베아트리체　(약을 받아들고 일어선다.)

의사　　증상이 악화되는 것 같으면, 최면 치료를 해 드리겠습니다.

베아트리체　(끄덕인다.) 그럼.

　　/퇴장/ **베아트리체, 시간**

　　무대 위에 남아 있는 의사, 그리고 단테.

START. 09. 그대 안의 나

의사

[단테]

Verse 1

무슨 말도 안 되는 일인 걸까

신화 속 금화살에 찔린 것 같아

하늘의 장난인가

그녀 모습 자꾸 떠올라 [무슨 말도 안 되는 일인가]

Verse 2

한 방울의 잉크가

물을 전부 흐려 놓듯 [내가 있어야 할 자리]

난 이미 얼룩져버렸어

그래 그녀와

[이게 아냐]

그래 그녀를

[믿을 수 없어 믿기지 않아]

원하게 된 걸까 결국엔

Chorus 1

마치 다른 사람이 된 것 같아

[그 사랑 나의 사랑이니]

갑자기 찾아온 이 느낌

[지금 네 안에는 내가 있으니]

혼란만 가득했던 맘 속

작은 떨림 [그 감정 나의 것]

느껴 본 적 없는 기분

[네가 아닌 내가 느낀]

사랑 [사랑]

단테   (자신의 예상과 다르게 흘러간 상황에 좌절한다.)

의사

Verse 1-1

모든 일이 믿기지가 않아서

하늘에 대고 간절히 물어보게 돼

운명의 장난인가

그녀 모습 계속 그려

Verse 2-1

연못 바닥의 물고기가

헤엄 한 번에 흙을 풀듯이

눈 앞이 흐려져버렸어

그래 그녀가

[네가 아냐]

그래 그녀를

50

[그널 사랑하는 사람 나인 걸]

사랑하게 된 건 아닐까

Chorus 1-1

마치 다른 사람이 된 것 같아

낯설고 강한 이 충격이

날 쥐고선 마구 흔들어 어찌할 수도 없게

단테

Chorus 1-2

내가 상상했던 모습이 아니야

그녀 가장 가까이 있던 사람

내가 아니라니

이 복잡한 감정 괴롭기만 해

Outro

당신 향한 사랑 여전한데

그댈 영혼 바쳐 사랑했으니

난 아직 잊지 못했어

영원하자는 그 약속

함께

END.

[그널 사랑하는 사람 나인 걸]

ACT [2]

SCENE [12] 의사의 방-숲 [의사-단테, 시간]

의사 (책상 앞에 앉아 서랍에서 베아트리체 관련 서류를 꺼낸다.) 베아트리체… 상담을 시작한 지 벌써 1년이 넘었는데 증상이 여전해 보여.

(베아트리체 관련 서류를 읽으며 증상을 읊는다.) 현재 느끼고 있는 기분을 감정으로 설명하는 것을 어려워함. 과거 사건을 회상할 때 단조롭게 사실만 나열하는 경향이 있고 이유 없이 자주 몸이 아프곤 하는데, 이는 심리적인 요인으로 인한 것으로 보임. (한숨) 나와 증상이 비슷해.

그녀도… 감정을 제대로 느끼지 못하는 걸까? 베아트리체의 증상이 나아진다면, 나도 나아질 수 있는 걸지도 몰라.

(일지를 쓴다.)

단테 감정을 제대로 느끼지 못한다고..?!

/입장/ **시간**

단테 (베르길리우스를 향해) 이런 건 얘기한 적 없잖아..!

시간 내가 얘기한 대로… 그렇게 한 장씩, 써내려 가는 거야.

단테 그 말… 누구한테 하는 거야..

시간 (분리선을 넘고 단테를 지나쳐 의사의 방으로 간다. 의사를 보며) 너, 단테.

단테 내가 여기 있는데?! 나야 베르길리우스!

(손을 뻗는다.)

의사 (작성하던 일지 한 장을 같이 집어든다.) 그녀를 향한 내 첫 감정이야.

시간 그걸로 네 결핍이 채워지진 않을 거야. 위대한 예술은, 결핍과… 절망이 함께해야 하니까.

단테 결국 내가 아니라 저 사람이었어..?

시간 이제 그녀가 너에게 올 거야.

단테	베아트리체…

시간	너의 예술성이 찾아오면 네 삶은… 한 권의 예술로 완성되겠지.

단테	저 의사가 그녈 살려낼 수 있어. 여기까지 온 건 후회하지 않아. 그러니까… 그러니까, 살려내 줘 제발…

시간	(의사에게) 걱정할 필요 없어, 단테. 그녀는 너와 같진 않지만, 영원히 네 편이니까.

(점암전.)

/퇴장/ **단테, 시간**

ACT [2]

SCENE [13] 의사의 방 [의사, 베아트리체]

협탁 위의 꽃병에는 활짝 핀 파릇한 꽃이 꽂혀 있다.

베아트리체	(의사의 방문을 두드린다.)

/입장/ **베아트리체**

의사	오랜만이네요. 그 동안은 잘 지내셨나요?/

베아트리체	뭔가 잘못된 것 같아요. 최근 들어 기분이.. 갑자기 이유 없이 기분이 좋아질 때가 있어요. 속이 울렁거리고, 심장도 불규칙하게 뛰는 것 같고요.

의사	증상은 언제부터 시작됐나요?

베아트리체	최근에 누굴 만난 이후 줄곧 이랬어요.

의사	누굴 만났나요?

53

베아트리체   오래 전에 본 적 있는 사람인데, 우연히 다리에서 다시 만났어요. (밝은 목소리로) 글을 쓰는 사람이래요. 자기가 쓴 글을 보여줬는데, 그 사람의 글을 읽으면… (꿈꾸는 것 같은 표정을 짓다가 확신을 느끼며) 그 사람의 글을 읽으면 그를 안아주고 싶어져요.

의사   사랑이라는 감정 같은데요.

베아트리체   제가 느낀 이 기분이 사랑이라면, 다들 왜 그렇게 찾아 헤메는 건지 알 것 같기도 하네요.

(의사가 쥐고 있는 깃펜을 가리키며) 근데 그 펜은…

의사   (멈칫하지만, 다시 적기 시작한다.)

베아트리체   제가 그 사람에게 준 펜인데. 한번… (펜에 손을 뻗으려 한다.)

의사   (멈칫하지만 이내 다시 필기를 하며) 사랑을 믿지 않으십니까?

베아트리체   아뇨. 사랑을 믿지 않는 건 아니에요. 다만, 지금까지 한 번도 느껴보지 못한 감정이라… 제가 채워줄 수 있는, 유일한 사람이라는 생각도 들어요…

의사   (베아트리체의 말을 듣고 있지 않다가 일어서며) 베아트리체..

베아트리체   네?

의사   제가… 당신을 사랑…하고 있는 것 같습니다.

베아트리체   (의사를 쳐다본다. 다소 당황한 기색.)

의사   (베아트리체의 반응을 눈치채지 못한 채) 한 번도 이런 감정을 느껴본 적 없습니다. 심장이 뛰고, 속이 울렁거리고…

(베아트리체를 보며) 낯설지만 싫지 않은 기분이에요. 매일 당신을 생각하고, 당신과 함께 웃다 잠에 들고 싶습니다. 이제 당신 없는 세상은 상상조차 할 수 없어요… 나와 같은 당신이, 내 마음의 한 구석을 채워 줄 수 있는 유일한 사람입니다.

베아트리체   (단테가 보냈던 편지와 같은 구절을 말하는 의사에게서 단테를 본다.)

의사   (수습하고 정신 차리며) 미안합니다. 의사로서 환자에게 해서는 안 될 말이었어요. 가져서도 안 될 마음이었고요. 이번 일은… 없던 일로 해주세요. 미안합니다… 제가 잠시 다른 사람이었나 봅니다.

(깃펜을 꽂으며) 저의 지인 프란츠에게 골상도를 의뢰해서 더 정확한 진단을 받으시길 추천드리겠습니다.

베아트리체 (따라 일어선다.) 저기… 잠시만

의사 (멈추며) 그 전에, 소견을 넘겨주기 위해… 더 깊은 대화를 나누었으면 합니다.

(혼자 중얼거리다 베아트리체를 보며) 그럼, 환자분이 느끼는 감정이 사랑인지 알 수 있을 겁니다.

START. 10. 고장난 심장의 탱고

의사 그럼.

밀실에서 의사와 베아트리체는 한 순간 감정의 소용돌이로 사랑을 나눈다. 베아트리체는 의사에게서 단테를 본다.

의사

Verse 1

눈 부실 수 있으니

편히, 눈을 감으세요

내가 도대체 왜 이럴까

심장이 고장난 것 같아

이러면 안 되는걸 알지만

내 몸이 제멋대로 움직여

55

Verse 2

끓어오른 감정이

나를 속이고 있는 것 같아

이젠 더 이상 날 막을 수 없어

그녀 향한 마음을

의사, 베아트리체

[베아트리체]

Chorus 1

이런 느낌 사랑일까

느껴 본 적 없겠죠[없었어]

이런 기분은

온몸을 뜨겁게 휘감은 뒤에

네[내] 마음 찢고 들어가[들어와]

너를[나를] 집어삼켜

베아트리체

Verse 1-1

내가 도대체 왜 이럴까

머리가 고장난 것 같아

그럴 리 없다는 건 알지만

그와 다시 한번 만난 듯해

56

Verse 2-1

감정 없는 마음이

나를 속이고 있는 것 같아

이젠 착각이 아닌 것 같아

그와 같은 이 느낌

의사, 베아트리체

[의사]

Chorus1-1

나를 무너뜨려 통제할 수 없어

느껴 본 적 없었어

이런 기분은

온몸을 뜨겁게 휘감은 뒤에

네[내] 마음 찢고 들어가[들어와]

너를[나를] 집어삼켜

의사

[베아트리체]

Bridge

내 심장 박동,

붉게 타는 가슴

모두 당신 향해

이 마음 영혼 절대 후회 않으리

[단테 당신을 사랑해]

의사

57

[베아트리체]

Chorus 1-2

[나를]

망가뜨려 통제할 수 없어

느껴 본 적 없었어

이런 기분은

차가운 네 영혼 삼키고 싶어[온 몸을 뜨겁게 휘감은 뒤에]

네[내] 마음 찢고 들어가[들어와]

너를[나를] 굴복시켜

END.

/퇴장/ 베아트리체

(암전.)

/퇴장/ 의사

ACT [2]

SCENE [14] [단테, 시간]

/입장/ 시간

시간은 단테의 책상에 걸터앉아 있다.

(조명 ON.)

/입장/ 단테

단테　　　미칠 거 같아… 저 의사가 베아트리체를…

58

(시간을 돌아보며) 이게 어떻게 된 거야. 내가 아니라, 저… 저런 사람이 될 거라고는 얘기하지 않았잖아.

시간   침착해, 단테.

단테   (시간의 말은 안 들리는 듯) 이런 방법으로 베아트리체를 살려낼 수 있는 건 맞아? 이젠 그것조차 확신할 수가 없어.

시간   선택을… 후회하니..?

단테   (흠칫하며, 질문에 대한 답은 하지 않는다. 초조해하며) 방법이 있을 거야..

시간   네 선택의 결과야.

단테   (시간에게 따지며) 왜 나한테 말을 하지 않은 거지? 다 알고 있었잖아.

시간   너에게는 예술가의 시간이 흐르고 있다고 했잖아. 그 위대한 예술은 결핍과 절망의 시간이 누적된./

START. 11. 피할 수 없는 운명

단테   (언성을 높이며) 예술 예술 그 개같은 예술 얘기 좀 그만해! 이 상황에서……? 난 네가 말하는 예술, 아니 앞으로도 절대 쓰지 않을 거야.

시간   넌 이미 그 작품을 쓰고 있어… 이젠 네가 두 명이잖니.

단테   말도 안 되는 소리 그만해./

시간   (시계를 보고) 거의 다 왔어, 단테./

단테   (결국 참지 못하고) 베르길리우스!

           (시간의 눈을 보며) 난 살려낼 거야. 아니, 살려내야만 해. 살려낼 수 있어..

시간   그래봤자 네가 지금 할 수 있는 건 없어. 운명을 받아들여.

단테   여기서 가만히 절망에 빠지는 게 내 운명.. 그런 운명이라 절망하는 건가..? 뭐가 어떻게 된 거지. 어디서부터 잘못됐는지 모르겠어…

59

시간

Verse 1

보이는가 네가 잊은 운명

이제는 부정할 수 없겠지

절망 통한 고통도 숙명이란 걸

보이는가 네가 잊은 운명

이제는 납득할 수 있겠지

네 눈물 또한 예술의 영감이 될 수 있단 걸

단테

Verse 2

네가 가져온 운명을

받아들일 순 없어

예술 위해 고통 견뎌낼

생각이 없다고

나는 단지 사랑을 위해

이 길을 오게 된 거야

그녀 없는 이 길은

너무도 어두워

11. 피할 수 없는 운명 Underscore

/퇴장/ **시간**

ACT [2]

SCENE [15] 의사의 방[의사, 단테, 시간]

의사   (어지러운듯 머리를 짚고 입장하여 의자에 앉는다. 우편봉투에서 골상도를 꺼내며) 프란츠가 벌써 결과를 보냈군.

(흐트러진 자세로 골상도를 대충 보다가 자세를 바로 앉으며) 뭐? 사랑과 관련된 부위가 이렇게 크다니 말도 안 돼. (서류를 뒤적거려 본인의 골상도를 찾는다.) 아냐, 맞아. 내 골상도에서는 거의 보이지 않는데.

단테   (자신과 베아트리체가 나누었던 과거의 순간들이 떠올라 그 자리에 돌이 된 듯 가만히 서 있다.)

의사   그럼 베아트리체는 나랑 같은 증상이 아니고… 그 사람을 향한 감정은 그러면 사랑…

베아트리체가 본인과 같은 병을 앓고 있지 않다는 사실에 혼란을 느끼며, 지금껏 느껴왔던 동질감과 연민이 부정당하는 기분에 분노를 터트린다.

의사   이럴 순 없어.

11. 피할 수 없는 운명 Cont.

의사

Chorus 1

나도 져 버리고 말았나

아무도 모르던 운명 앞에

믿어선 안 되는 거였나

나를 변하게 만들어준 나의 사랑

더 이상 빛은 없으리

이 사랑 누구 것인지 알 수 없다면

생생한 이 감정 이해할 수 없다면

Verse 3

어느 때보다 생생했던 느낌

사랑이라 정의하는 감정

이 모든 게 거짓이었나

다 착각이었나

난 대체

누구였는가

Verse 4

난 감정조차 없는 괴물인가

난 누구에게 홀려 버린 건가

나는 누구였나

나는 누구였나

의사

62

[단테]

Chorus 2

나도 져 버리고 말았나 [잘못된 선택이었나]

아무도 모르던 운명 앞에 [9년을 기다린 사랑인데]

믿어선 안 되는 거였나 [믿어선 안 되는 거였나]

의사   (서랍에서 약을 꺼내든다. 죽음의 조명. 이 약은 죽음과 관련이 있다.)

나를 변하게 만들어준 나의 사랑

더 이상 빚은 없으리 [결국엔 후회하게 될까]

이 사랑 누구 것인지 알 수 없다면 [내 평생 단 하나 원했는데]

생생한 이 감정 이해할 수 없다면 [다 사라지나]

의사   (약을 들고 있던 약 병에 다시 넣는다.)

END.

(암전.)

/퇴장/ 의사, 단테

ACT [2]

SCENE [16] 의사의 방 [베아트리체, 의사]

(조명 ON.)

베아트리체   (문을 두드린다. 묵묵부답. 의사의 방문을 열고 들어온다.)

63

(조용히 둘러보다 자리에 앉는 베아트리체. 펜꽂이의 깃펜이 눈에 들어온다. 가까이 가져와 살펴본다. 자신이 단테에게 선물로 준 것과 똑같은 것이다. 자신의 이름이 새겨져 있다.)

의사   (초점이 없고 절망적인 눈으로 입장.)

베아트리체   베아트리체…

의사   죄송합니다. 늦었습니다.

베아트리체   (황급히 깃펜을 다시 제자리에 꽂아두고 살펴보지 않은 척을 한다.)

의사   (그런 것까지 신경쓸 정신이 아니다. 베아트리체에게 검사지를 건네며.) 저번에 검사한 결과입니다. 당신이 느꼈던 감정은… 사랑이 맞습니다.

베아트리체   (의사가 건네준 사진과 의사를 본다.)

의사   (베아트리체에 대한 배신감이 크지만, 단테의 감정이 들어 있어 베아트리체를 보자 끌림과 사랑을 느낀다. 이에 큰 혼란에 빠진다.) 제가 당신을 사랑했다고 한 그 감정은.. 잘못된 것 같습니다..

베아트리체   (무언가를 느낀 듯. 확신했다.) 단테..

의사   ..?

베아트리체   당신이 맞아…

START. 11a. 그는 여기 있어!

베아트리체

[의사]

Verse 1

말도 안 된다고

그럴 리 없다고

나에게 외쳐보아도

64

이제 더 이상 내 진심

속일 순 없어

Chorus

꿈 속에 있는 걸까 [꿈 속에 있는 걸까]

그대 꿈꾸는 게 분명해 [그대 꿈 꾸는 게 분명해]

불가능하단 걸 알면서도 [감정과 사랑 모두 알면서도]

그댈 보면 당신이 보여 [당신 안에서 날 봤는데]

더 이상 의심 않아 [더 이상 날 속이지 마]

평소와 다른 손의 깃펜

그가 아닌 당신의 글씨

분명 이전과 달라 [분명 이전과 달라]

나 그대 숨쉰다 믿겠어

Verse 2

당신이 맞다고

그럴 수 있다고

가슴이 속삭이고 있어

이제 선명해진 내 생각과

마주하겠어

 END.

ACT [2]

SCENE [17] 숲-의사의 방 [의사, 시간-단테, 베아트리체]

의사   단테라니요. 전 그 사람이 아닙니다.

START. 12. 결핍과 예술의 심포니

베아트리체

Verse 1

나 그대와 함께

영원히 함께

시간이 우리를 갈라 놓는다 해도

당신이 이끄는 대로

운명의 길 앞에

12. 결핍과 예술의 심포니 Stop.

의사는 더욱 혼란스러워진다. 분명 자신은 단테가 아니다. 단테는 베아트리체가 처음 보고 사랑에 빠진 제 3의 인물이다. 그렇지만 자신 또한 베아트리체를 향한 사랑의 감정을 분명히 느꼈다. 자신이 감정을 제대로 느낄 수 없다면 이 감정은 누구의 것인가? 정말 베아트리체가 보고 있는 것이 맞다는 말인가?

/입장/ **시간**

의사   (충혈된 눈으로, 베아트리체에게) 나를⋯ 사랑합니까?

베아트리체   시간이 우릴 갈라 놓으려 해도, 우린 항상 함께였어요⋯

66

12. 결핍과 예술의 심포니 Cont.

단테

Verse 2

마침내 그녈 찾았지만

손 끝에 닿자마자 사라져가네

날카로운 가시에 찔리고 나서야

깨닫는 절망의 내 운명

단테

[의사]

(베아트리체)

〈시간〉

Chorus 1

그댈 향한 내 사랑 [그댈 향한 내 사랑]

시간에 갇힐 운명인가 [이루지 못할 운명인가]

(비어 있던 내 마음 속의 유일한 행복)

〈단 하나의 행복과 영원한 절망〉

베아트리체

67

[All]

Chorus 2

그댈 향한 내 사랑

결코 변할 일은 없어

나 지금 여기서 당신을 느낄 수 있어요

[지금 내가 당신 곁에 있어요]

All

Outro

영원히

END.

단테   (시간을 바라보며) 그때 널 되돌리지만 않았어도..

의사   (서랍에서 약병을 꺼내 베아트리체에게 건넨다.)

마음 속 평화를 찾도록 해주는 약입니다. 당신이 완벽해지도록… 도와줄 거예요.

베아트리체 (의사가 준 약을 받아 구분선을 넘어오는 시간에게 약병을 건네고, 그 자리에서 물끄러미
의사를 바라보다가 안아준다.)

시간   (말 없이 구분선을 넘어 베아트리체에게 약병을 받아 그것을 단테에게 건네 준다.)

단테   (자신의 의지와 싱관없이 시간으로부터 약병을 받아 든다.)

의사와 단테 freeze.

START. 12a. 역작의 탄생

시간   (시계를 꺼내 든다.)

시간

Verse1

사랑 향한 그의 절망

위대한 예술 피워냈네

그의 작품은 이 시대의 역작이 되었으니

세월의 피로 그의 영혼

물들으리

시간   (시계를 덮고 다시 주머니에 넣는다. '인연의 마침표.')

/퇴장/ **의사, 단테**

의사가 퇴장한 자리에 〈신곡-지옥〉이 남아 있다. 베아트리체는 시간에게 〈신곡-지옥〉을 넘겨준다.

END.

(암전.)

ACT [2]

69

SCENE [18] 단테의 묘 [베아트리체, 시간, 의사, 단테]

START. 13. 망자를 위한 기도 Reprise

(조명 ON.)

한가운데 〈신곡-지옥〉을 들고 서 있는 시간.

시간의 옆에는 베아트리체가 빳빳한 편지와 활짝 핀 꽃을 쥐고 있다.

시간

Verse 1

그의 작품은

여기 이렇게 남겨져

영원하게 흐르리

차가운 절망이

그의 심연 불러내

Verse 2

선택의 갈림길에서

가보지 못한 곳

갈망한 끝에

남은 건

후회와

절규뿐

/입장/ **베아트리체**

베아트리체

Chorus 1

당신을 처음 본 그날

나 깨달았어

당신의 영혼이

변했던 모습

그 자리에

머물러 줘

시간

Verse 2-1

지나간 시간 앞에서

선택의 무게를

생각할 운명

영원한

예술의

뒷편으로

시간

Chorus 2

지금까지 단 한번도

없었어

절망과 환희로

얼룩진 운명